MORFIL Y STORM

Cyhoeddwyd gyntaf yn Saesneg 2013 gan Simon and Schuster UK Ltd
Llawr cyntaf, 222 Gray's Inn Road, Llundain WC1x 8NB y teitl *The Storm Whale*
Cyhoeddwyd gyntaf yn Gymraeg 2017 gan Wasg y Dref Wen Cyf.
28 Ffordd yr Eglwys, Yr Eglwys Newydd, Caerdydd CF14 2EA
Ffôn 029 20617860.
Mae'r cyhoeddwr yn cydnabod cefnogaeth ariannol Cyngor Llyfrau Cymru.
Argraffwyd yn China.

MORFIL Y STORM

Benji Davies

Addaswyd gan Elin Meek

DREF WEN

Roedd Noi'n byw gyda'i dad a chwech o gathod ar lan y môr.

Bob bore, byddai tad Noi'n gadael yn gynnar
i weithio drwy'r dydd ar ei gwch pysgota.

Byddai hi'n nos erbyn iddo ddod adref eto.

Un noson, rhuodd storm fawr o gwmpas y tŷ.

Yn y bore, aeth Noi i lawr i'r traeth i weld beth oedd wedi cael ei adael ar ôl.

Wrth iddo gerdded ar hyd
y traeth, gwelodd rywbeth yn y pellter.

Wrth iddo fynd yn nes, allai Noi ddim credu ei lygaid.

Morfil bach oedd e, wedi'i olchi i'r lan.

Meddyliodd Noi tybed beth dylai ei wneud.

Roedd e'n gwybod nad oedd hi'n beth da
i forfil fod allan o'r dŵr.

"Rhaid i mi frysio!" meddyliodd.

Gwnaeth Noi ei orau glas i wneud i'r morfil deimlo'n gartrefol.

Adroddodd hanesion am fywyd ar yr ynys. Roedd y morfil yn wych am wrando.

Roedd y nos yn dod
ac roedd hi'n tywyllu.

Roedd Noi'n poeni y byddai ei dad yn mynd yn wyllt gacwn oherwydd bod morfil yn y bath.

Rywsut, cadwodd Noi
ei gyfrinach yn ddiogel
drwy'r noson.

Llwyddodd i sleifio tamaid
o swper i'w forfil, hyd yn oed.

Ond roedd e'n gwybod bod
pen draw ar hynny.

Doedd tad Noi ddim yn wyllt gacwn. Roedd wedi bod mor brysur, doedd e ddim wedi sylwi bod Noi'n unig.

Ond dywedodd fod rhaid iddyn nhw fynd â'r morfil yn ôl i'r môr lle roedd i fod i fyw.

Gwyddai Noi' mai dyna'r peth iawn i'w wneud, ond roedd hi'n anodd ffarwelio.

Roedd yn falch fod ei dad yno gydag ef.

Byddai Noi'n aml yn meddwl am forfil y storm.

Efallai, ryw ddiwrnod …

… byddai'n gweld ei ffrind eto.